D1294690

À Nathan, petit enfant de la Terre! – F. Q.

Pour Jonas, mon adorable filleul. – S. B.

© Les Éditions des Éléphants, 2017 – 16, av. Robert-Schuman, 75007 Paris – www.les-editions-des-elephants.com
Dépôt légal : avril 2017 – ISBN : 978-2-37273-034-1 – Tirage n° 1 – Achevé d'imprimer au Portugal
Loi n° 49-956 du 16 juillet 1949 sur les publications destinées à la jeunesse, modifiée par la loi n° 2011-525 du 17 mai 2011

MON ENFANT DE LA TERRE

France Quatromme ◇ Sandrine Bonini

LES ÉDITIONS DES ÉLÉPHANTS

DORS MON ENFANT ET NE TREMBLE PAS,
CE N'EST QUE LE FEU QUI CRÉPITE SOUS LE PLAT.
COMME TOI, EN AFRIQUE, LE BÉBÉ TÈTE,
BLOTTI DANS SON ÉCHARPE, LE SEIN DE SA MÈRE.

DORS MON ENFANT ET NE TREMBLE PAS,
CE N'EST QUE LA LUMIÈRE DU SOLEIL QUI S'EN VA.
COMME TOI, AU GROENLAND, LE BÉBÉ OBSERVE
LA NUIT TOMBER SOUS SA CAPUCHE FOURRÉE.

DORS MON ENFANT ET NE TREMBLE PAS,
CE N'EST QUE LE PLANCHER QUI CRAQUE.
COMME TOI, EN INDE, LE BÉBÉ DORT
AU BRUIT DES ARBRES QUI CHUCHOTENT DEHORS.

DORS MON ENFANT ET NE TREMBLE PAS,
CE N'EST QU'UNE ÉTOILE QUI SCINTILLE.
COMME TOI, EN CHINE, LE BÉBÉ S'ÉMERVEILLE
DU BIJOU QUI BRILLE AU BOUT D'UN FIL DE SOIE.

DORS MON ENFANT ET NE TREMBLE PAS,
CE N'EST QUE LE CHIEN QUI ABOIE.
COMME TOI, EN AUSTRALIE, LA PETITE FILLE RÊVE
DU KANGOUROU ENDORMI DANS LES HAUTES HERBES.

DORS MON ENFANT ET NE TREMBLE PAS,
SI JAMAIS UN CAUCHEMAR RÔDE,
COMME POUR LE BÉBÉ INDIEN,
JE T'OFFRIRAI UN ATTRAPE-RÊVES QUI LE CAPTURERA.

DORS MON ENFANT ET NE TREMBLE PAS,
CE N'EST QUE LE MURMURE DE NOS VOIX.
COMME TOI, EN RUSSIE, LE BÉBÉ S'APAISE
AU CHANT QUE SA MÈRE LUI FREDONNE TOUT BAS.

DORS MON ENFANT ET NE TREMBLE PAS,
CE N'EST QUE LE HIBOU QUI ULULE.
COMME TOI, AU BRÉSIL, LE BÉBÉ SOMMEILLE
AU CHANT DE L'OISEAU QUI VEILLE.

DORS MON ENFANT ET NE TREMBLE PAS,
CE N'EST QUE LE VENT QUI SIFFLE TOUT LÀ-HAUT.
COMME TOI, AUX ANTILLES, LE BÉBÉ MASSÉ S'ENIVRE
DE L'ODEUR DE L'HUILE D'AMANDE SUR SA PEAU.

DORS MON ENFANT ET NE TREMBLE PAS,
CE N'EST QUE LE BATTEMENT DE MON CŒUR.
COMME TOI, AU MAROC, LE BÉBÉ SE REPOSE
AU RYTHME DE LA DERBOUKA.

DORS MON ENFANT ET NE TREMBLE PAS,
SI UN CHAGRIN TE TOURMENTE,
COMME POUR LE BÉBÉ AU GUATEMALA,
JE METTRAI UNE POUPÉE À SOUCIS CONTRE TOI.

DORS MON ENFANT ET NE TREMBLE PAS,
CE N'EST QUE LE MURMURE DE NOS RÊVES.
COMME TOI, LE MONDE ENTIER S'ENDORT
À LA MUSIQUE DE LA VIE QUI VA !

DORS, DORS MON ENFANT DE LA TERRE.
DORS, DORS ET NE TREMBLE PAS.